Dirección editorial:
Departamento de Literatura
Infantil y Juvenil

Dirección de arte:
Departamento de Imagen y Diseño GELV

Diseño de la colección:
Manuel Estrada

*El 0,7% de la venta de este libro
se destina al Proyecto «Mejora
de la Calidad y oferta educativa
del ciclo diversificado del Instituto
Tecnológico Quiché de Chichicastenango
(Guatemala)», que gestiona la ONG
Solidaridad, Educación, Desarrollo (SED).*

1ª edición, 2ª impresión, diciembre 2010

© Del texto: Ricardo Alcántara
© De las ilustraciones: Ximena Maier
© De esta edición: Editorial Luis Vives, 2009
   Carretera de Madrid, km. 315,700
   50012 Zaragoza
   Teléfono: 913 344 883
   www.edelvives.es

ISBN: 978-84-263-7269-7
Depósito legal: Z-4025-2010

 Talleres Gráficos Edelvives (50012 Zaragoza)
Certificados ISO 9001
Impreso en España

Reservados todos los derechos. Cualquier forma de reproducción, distribución, comunicación
pública o transformación de esta obra sólo puede ser realizada con la autorización de sus titulares,
salvo excepción prevista por la ley. Diríjase a CEDRO (Centro Español de Derechos Reprográficos,
www.cedro.org) si necesita fotocopiar o escanear algún fragmento de esta obra.

FICHA PARA BIBLIOTECAS

ALCÁNTARA, Ricardo (1946-)
La casa de los miedos / Ricardo Alcántara ; ilustraciones,
Ximena Maier. – 1ª ed., 2ª reimp. – Zaragoza : Edelvives, 2010
141 p. : il. ; 20 cm. – (Ala Delta. Serie azul ; 69)
ISBN 978-84-263-7269-7
1. Miedos. 2. Crecimiento personal. 3. Valentía. 4. Compañerismo.
5. Parques de atracciones. I. Maier, Ximena (1975-), il. II. Título.
III. Serie.
087.5:821.134.2(899.1)-3"19"

ALA DELTA

EDELVIVES

La casa
de los miedos

Ricardo Alcántara

Ilustraciones
Ximena Maier

SCHAUMBURG TOWNSHIP DISTRICT LIBRARY
130 SOUTH ROSELLE ROAD
SCHAUMBURG, ILLINOIS 60193

Los miedos son tan endemoniados que,
para superar algunos, es preciso estar solo;
en cambio, otros solamente se vencen estando
acompañado.

Para Pere Espósito.

1

UN NIÑO LLAMADO JULIÁN

Julián era demasiado bajo y menudo para su edad, su rostro era muy aniñado y su forma de comportarse tan infantil que nadie hubiera dicho que tenía nueve años. Pero eso, en vez de molestarle, al niño le gustaba. «Prefiero ser pequeño», pensaba, y tenía sus motivos.

Era bastante tímido y solitario, le costaba relacionarse con los demás. Era un niño callado que miraba el entorno con sus ojos grandes y oscuros, sin atreverse a decir qué pasaba por su cabeza ni a confesar que un sinfín de miedos lo acosaban continuamente y no lo dejaban en paz. El peor de todos, el que más lo agobiaba, era el miedo que le causaba el monstruo de las siete bocas. Le temía tanto que ni siquiera se atrevía a pensar en él. Aun así, sabía que el enfrentamiento sería inevitable. Julián estaba convencido de que el monstruo esperaría a que se hiciera mayor, pues entonces sus padres no estarían cerca para defenderlo.

Últimamente se le veía más triste y ensimismado. Podía estar sentado frente a la tele sin prestar atención a lo que aparecía en la pantalla, o leer un libro sin apenas enterarse de la suerte que corrían sus protagonistas. Una gran preocupación le rondaba de forma constante, pero él no se atrevía a compartirla con nadie. No tenía a quién recurrir y eso hacía que se sintiera indefenso y perdido. Estaba tan asustado que por las noches le costaba conciliar el sueño y, cuando por fin se dormía, soñaba cosas que no le gustaban.

Sus padres no notaban nada raro en el niño, sino todo lo contrario. Quizá porque de momento era hijo único y no tenían otro niño en casa con quien compararlo, aunque pronto iba a tener una hermana. Lo cierto es que para ellos era un niño ejemplar: estaba siempre junto a ellos, sacaba buenas notas, era limpio y ordenado, nunca se enfadaba, obedecía sin rechistar a todo lo que le indicaran, no causaba problemas y apenas salía de casa.

—Parece un hombre en miniatura. ¡Es una monada! —afirmaba su madre con gesto de satisfacción.

—A los niños hay que saber educarlos —se jactaba su padre, convencido de que eran unos auténticos maestros en el arte de educar.

Algunos fines de semana, mientras su padre dormía la siesta, Julián se acercaba a su madre y le pedía:

—¿Puedo ir a jugar con Alberto?

—No sé, no sé… es un poco tarde y no me gusta que andes solo por la calle —dudaba ella.

Alberto era un par de años mayor que Julián, iba a su misma escuela, estaba en sexto y era su ídolo. Durante los recreos lo buscaba con la mirada y, discretamente, observaba cada uno de sus movimientos. «Si pudiera ser otro niño, quisiera ser como él», pensaba. Le gustaba porque era simpático, charlatán y decidido, el líder de la clase, el mejor jugando al fútbol, el chico más popular del colegio. Jamás habían hablado;

es más, Julián estaba convencido de que Alberto ni siquiera se había fijado en él.

Puesto a inventar un amigo, Alberto era perfecto: vivía en su mismo barrio, muy cerca de la casa de Julián; y por eso le dejaban que fuese solo hasta su casa.

En estas ocasiones, Julián permanecía quieto junto a su madre, con la cabeza gacha, evitando mirarla de frente. Tras unos minutos en silencio, la mujer acostumbraba a decir:

—De acuerdo, pero compórtate como tú sabes. No quiero quejas de nadie. Y no vuelvas muy tarde.

Julián se cambiaba de ropa, se despedía de su madre y, sin prisas, salía a la calle. Se dirigía hacia la casa de Alberto pero, antes de llegar, giraba a la izquierda y tomaba una callejuela que bajaba y le conducía directamente hasta el parque de atracciones.

Una vez allí, Julián paseaba sin rumbo, deteniéndose frente a algunas atracciones. Las que más llamaban su atención eran las sillitas voladoras, el pulpo y la alfombra de Aladino. Pero, sin duda, cuando se detenía frente al tren fantasma sentía que el corazón le latía apresuradamente.

Observaba los dibujos que habían pintado en las paredes de la atracción, oía los gritos de las personas que se habían atrevido a entrar, miraba el aspecto siniestro del hombre que recogía los tiques...

Permanecía un buen rato parado frente a la atracción, como si aquella misteriosa casa tuviera un enorme imán que lo atrajera, sin dejarle moverse de allí.

Entonces Julián, con el estómago encogido y la respiración entrecortada por la emoción, se prometía a sí mismo: «Hoy no puedo, pero algún día entraré. Me armaré de valor y entraré para ver qué hay dentro».

Pero esta idea le hacía temblar, así que continuaba su paseo encogido por el miedo, triste y absolutamente desilusionado consigo mismo, mirando hacia el suelo. Poco después regresaba a casa. Entonces veía la tele, hacía los deberes o leía un rato, sin acabar de encontrarse a gusto dentro de su cuerpo.

En más de una ocasión se encaminó al parque con aire decidido. «De hoy no pasa», se decía una y otra vez, apretando entre los dedos las monedas para comprar la entrada a la atracción.

Se detenía a dos pasos de la taquilla y respiraba hondo para reunir el coraje necesario, pero, en el último momento, daba media vuelta y se alejaba de allí dando grandes zancadas, como si en lugar de pasear estuviera huyendo de alguien.

Así fueron pasando los días, sin más sorpresas ni sobresaltos que los normales, hasta que un fin de semana ocurrió algo fuera de lo habitual.

Como tenía por costumbre, Julián pidió a su madre que lo dejara ir a casa de Alberto y, poco después, salió a la calle. «Hoy me atreveré», murmuró, convencido de que subiría a la atracción.

Estaba tan ensimismado en sus pensamientos que no se dio cuenta de que el cielo estaba encapotado y de que las abultadas nubes anunciaban tormenta.

Julián se encaminó al parque y, una vez allí, se dirigió al tren fantasma.

—Buenas tardes, ¡quiero una entrada! —dijo a media voz mientras andaba, ensayando la manera en que se dirigiría a la taquillera cuando la tuviera delante.

Sin embargo, aunque llevaba las monedas en la mano, la frase preparada y unas ganas locas de entrar, era como si una fuerza lo sujetara por los hombros o la

cabeza y le susurrara al oído que se aleja-
ra de allí cuanto antes. Entonces, todos
sus miedos, desde el más pequeño al más
gigantesco, formando un estridente coro,
le advirtieron: «¡Vete, lárgate ya!».

Como en tantas otras ocasiones, el niño
estaba a punto de marcharse, cuando el
ruido de un trueno lo sobresaltó tanto que
lo sacó de sus pensamientos. Miró hacia
arriba justo cuando las primeras gotas de
una copiosa lluvia comenzaron a mojarlo.

Necesitaba buscar refugio cuanto antes si no quería acabar empapado de los pies a la cabeza. Echó una ojeada. En realidad, por allí no había mucho donde elegir: si quería estar bajo techo, la única posibilidad era meterse en el tren fantasma. No se lo pensó dos veces.

—Una entrada —dijo a la señora de la taquilla.

La pagó y recorrió los metros que lo separaban de la atracción tan rápidamente como pudo.

Un hombre con gesto siniestro, el rostro pintado de blanco y luciendo ropas negras lo acomodó en un vagón, tomó el billete de entrada y, con voz grave, le advirtió:

—Aquí dentro suceden cosas inesperadas. Es una auténtica caja de sorpresas. Éste será un viaje inolvidable.

Julián no sabía si eso era bueno o malo. Estaba tan aturdido que no sabía qué pensar.

Se oyó el tañido de una campana. El vagón estaba a punto de arrancar cuando el hombre le indicó:

—Espera, ahí vienen dos más.

Julián giró la cabeza y vio que Alberto se acercaba a grandes pasos. Llevaba, cogida de la mano, a su hermana. Era una cría pequeña, de apenas tres años. Llevaba coletas, jersey naranja, falda vaquera y unas zapatillas muy divertidas que parecían de bailarina. Se llamaba Lucía, pero todos le decían Nena. Para Alberto era un estorbo, pues sus padres lo obligaban a llevar a la pequeña a todas partes.

—Vamos, date prisa. Si no sabes andar más rápido deberías haberte quedado en casa. —Alberto aprovechó la ocasión para regañarla.

La pequeña hizo lo posible por seguir el paso de su hermano y no quedar rezagada, pues eso aumentaría el malhumor de su acompañante. Ella tampoco se sentía a gusto cuando sus padres la obligaban a salir con él. Sabía que era una carga para Alberto, pues él no cesaba de recordárselo, y eso la hacía sentir más incómoda a su lado.

—Ve tú delante —dijo Alberto a la niña, mientras la ayudaba a sentarse junto a Julián.

Él se instaló cómodamente en el asiento de atrás.

Entonces, con algunas palmadas en la espalda a modo de presentación, se acercó a Julián y le dijo en tono amistoso:

—Hola, ¿qué tal?

—Hola… —respondió el niño tímidamente, sin atreverse a decirle que ya lo conocía porque iban al mismo colegio.

Julián era muy poco hablador y le costaba encontrar las palabras adecuadas. Además, estaba tan acostumbrado a estar solo, que tener a alguien tan cerca le intimidaba un poco. Para colmo, la niña no paraba de mirarlo fijamente mientras se recostaba contra su brazo.

—En realidad, esta atracción me parece una chorrada. Monto aquí por ella —dijo Alberto y señaló a su hermana—. Si me negara a traerla, luego mis padres no me dejarían subir a la montaña rusa.

—A mí tampoco me... —comenzó a decir la niña tímidamente, pero, sin darle tiempo a acabar, el vagón arrancó.

Delante de ellos se abrieron unas puertas que dejaron al descubierto una oscuridad sin límite. Tan pronto como cruzaron el umbral, las puertas se cerraron ruidosamente; Julián sintió entonces que una enorme boca lo había engullido.

«¡Socorro! ¡Auxilio!», quiso gritar, pero no pudo: las palabras no le salían.

Sólo acertó a aferrarse con todas sus fuerzas a la barra metálica que tenía delante, y que lo sujetaba para que no cayera ni saliera disparado.

El vagón avanzaba a bastante velocidad, sin que Julián pudiese ver qué había más allá de su nariz. La oscuridad que lo envolvía era intensa, mucho peor que la que se apoderaba de su habitación por las noches en cuanto apagaba la luz. Para colmo, aquí no tenía sábanas para cubrirse el rostro y sentirse un poco más protegido.

El vagón avanzaba cada vez más rápido y, de pronto, comenzó a bajar casi en picado, como en el recorrido de una montaña rusa: al menos eso le pareció a Julián.

Bajó y bajó tanto que el niño pensó que llegarían al centro de la Tierra, eso si no descarrilaban antes.

Rígido contra el respaldo del asiento, movía los ojos de un lado a otro. De pronto, se oyó el ruido de un trueno, las débiles luces se apagaron y el vagón se detuvo.

«¿Y ahora qué pasa?», pensó Julián, convencido de que aquello no formaba parte de las sorpresas de la atracción.

—Yo he montado aquí muchas veces y el vagón nunca se ha detenido en medio del recorrido —dijo Alberto confirmando sus sospechas.

Pero en vez de amedrentarse, el muchacho estaba encantado con la aventura.

Julián, sin embargo, se encogió en el vagón, cerró los ojos, se envolvió con sus brazos y deseó que aquella pesadilla terminara cuanto antes. La niña, que también estaba asustada, sin atreverse a abrir la boca para no molestar a su hermano, se acercó más a él.

Al cabo de un rato, volvió la luz. Julián abrió ligeramente un ojo para convencerse de que estaban fuera de peligro. Pero los minutos fueron pasando sin que el vagón reanudara la marcha.

«No lo entiendo, si ya ha vuelto la luz», pensaba el niño, intentando adivinar qué sucedía allí dentro y tratando de hacer oídos sordos a las exclamaciones de su compañero de viaje, que disfrutaba con la inesperada aventura.

No sabía cuánto tiempo llevaban allí encerrados, pero tenía la sensación de que ya era mucho rato, ¡demasiado!

«Ya tendría que estar en casa», se dijo, preocupado por lo que pudieran pensar sus padres al ver que se demoraba más de la cuenta.

Este pensamiento aumentó su inquietud y preocupación. Comenzó a sentirse culpable por haberles mentido y por darles un disgusto tan grande.

Como era habitual en él, casi sin darse cuenta se puso a pensar qué pasaría cuando sus padres, alarmados por su tardanza, decidieran hacer algo. Entonces los imaginó

paseando por la sala de casa, con gesto contrariado, consultando el reloj a cada instante.

—Esto ya no es normal. Mi pequeñín jamás ha llegado tan tarde —comentaría su madre, bastante preocupada.

—Es verdad. Ponte el abrigo, iremos a buscarlo a casa de su compañero —sentenciaría el padre.

Entonces saldrían los dos andando rápidamente. Llegarían a casa de Alberto y llamarían a la puerta. Los atendería la madre de su compañero.

—Buenas tardes, somos los padres de Julián —se presentaría el padre—. ¿Podría decirle a nuestro hijo que hemos venido a buscarlo?

La madre de Alberto pondría una expresión entre perpleja y asustada:

—¿Qué? Pero si su hijo no está aquí; es más, nunca ha pisado esta casa.

—¡No puede ser! —exclamaría el padre de Julián, con las mejillas encendidas—. ¡Debe de haber una equivocación!

Julián notó que le tiraban de la manga de la cazadora y eso lo devolvió a la realidad. Al abrir los ojos vio que se trataba de la niña.

—Tengo miedo —le dijo asustada.

Quizá porque sabía que su hermano no le prestaba demasiada atención, o porque no veía a Julián tan mayor y eso la llevaba a sentirlo más cercano, le confesó sus temores.

Julián la miró desconcertado. No sabía qué responder. Bastante tenía con lo suyo como para tener que consolar a sus compañeros. Es más, al verla tan pequeña él se sentía mayor, y eso no le gustaba.

En ese momento, uno de los operarios habló a través de la megafonía:

—Hemos sufrido una avería a causa de una descarga eléctrica, pero ya estamos trabajando para repararla. Lamentamos los inconvenientes. Para cualquier consulta, pónganse en contacto con nosotros a través de los teléfonos de auxilio. Les mantendremos informados. Gracias.

—¡Vaya! Esto es peor de lo que imaginaba —exclamó Alberto y bajó del vagón.

—¿Dónde vas? —le preguntó Julián.

—Si estoy quieto me resulta muy difícil pensar —respondió el muchacho, andando de un lado a otro.

—¿Y en qué estás pensando? —quiso saber Julián, temiendo la respuesta.

—En cómo convencer a los guardias de que nos dejen salir —dijo.

Alberto tenía ganas de vivir la experiencia como si fuese el héroe que aparece en las películas y estuviera en sus manos salvar a todo el grupo. Poco después se le ocurrió algo y, sin darle muchas vueltas, cogió el teléfono de socorro.

—Dígame —le respondieron.

—Mi hermana pequeña está muy nerviosa. Tendríamos que sacarla cuanto antes de aquí —argumentó.

—Lo siento, en este momento no existe la posibilidad de llegar hasta donde están —le informaron.

—No se preocupe, indíqueme el camino más seguro y yo mismo la sacaré.

—Imposible, eso es un laberinto. Créame, no conseguirán salir.

—No podemos esperar más —insistió Alberto.

Silencio. Al cabo de un momento, el guardia le indicó:

—Está bien. Vayan hasta el almacén y cojan uno de los robots. Ellos, mejor que nadie, saben cómo moverse en el interior de la casa.

El hombre le indicó dónde estaba el almacén y luego colgó.

—¡Fantástico! —exclamó Alberto, convencido de que aquel incidente era lo mejor que podía haberle pasado.

Se acercó al vagón donde estaban sus compañeros y los apremió:

—Venga, ¡en marcha! Debemos darnos prisa antes de que arreglen el desperfecto y la atracción vuelva a funcionar. Trataremos de ser los primeros en salir.

Julián se estremeció. La idea de quitarse la barra metálica que lo protegía, apearse del carro y echar a andar a ciegas le provocó un tremendo susto.

—¿No te parece que sería mejor esperar a que vengan a sacarnos? —se atrevió a comentar.

—¡Qué va! ¿No será que tienes miedo? —preguntó Alberto con cierto retintín.

Julián no quería mostrarse como un niñito asustado delante de Alberto, así que respondió tímidamente:

—No, no.

A duras penas, pues el miedo lo paralizaba, bajó del vagón.

—¿Puedo cogerte de la mano? —le pidió la niña, pero Julián ni siquiera la oyó.

Todos sus miedos, apiñados junto a sus orejas, no cesaban de hablarle, y él sólo tenía oídos para ellos.

Alberto, resoplando molesto, ayudó a su hermana a bajar.

—¿Lo ves? Tendrías que haberte quedado en casa —aprovechó para sermonearla; luego les indicó—: Por aquí.

Y se pusieron en camino.

2

EL ALMACÉN DE LOS ROBOTS

Alberto iba delante, le seguía Nena y Julián cerraba la fila. Se internaron por un pasillo muy estrecho; debido a la poca luz, no se veía el techo.

Julián se esforzaba para no separarse de los demás. Por fin llegaron a una sala muy amplia repleta de muebles antiguos. Había grandes lámparas colgando del techo, oscuras pinturas cubriendo las paredes, varias armaduras tan altas que parecían pertenecer a gigantes e infinidad de telarañas por todas partes.

La estancia resultó tan poco acogedora que Julián notó que un escalofrío le recorría la espalda. «No me extrañaría que por aquí hubiera fantasmas», pensó, acercándose un poco más a Nena.

—¡Ah! —exclamó sobresaltada la cría al notar que le tocaban la espalda.

—Lo siento —se disculpó Julián.

Al otro lado de la habitación había una puerta tan curiosa como desproporcionada: era excesivamente alta, pero tan estrecha que una persona voluminosa no podría atravesarla.

A ambos lados de la puerta, como si de fieles centinelas se tratara, se veían dos espejos. Estaban apoyados en el suelo y la altura superaba la mitad de la pared. Tenían marco dorado, de casi un palmo de ancho, y estaban resplandecientes, como

si acabaran de limpiarlos. Junto a la puerta había un rótulo que decía «Almacén».

—¿Me llevas a upa? —pidió la niña. Aunque a regañadientes, Alberto la cogió en brazos.

Entonces, dirigiéndose a Julián, le indicó:

—Allí está el almacén. Ve y coge un robot.

—¿Por qué tengo que ir yo? —replicó Julián, agarrotado a causa del susto.

—Porque Nena está temblando, por eso prefiero quedarme con ella —respondió, con un toque de ironía.

—Claro… —suspiró Julián y se encaminó hacia la puerta.

Era como si le hubieran puesto varias pesas en cada pie, por lo mucho que le costaba dar cada paso. Pero, al llegar ante los espejos, se detuvo de golpe, como si un terrible monstruo se hubiera puesto delante de él cortándole el paso. Estaba pálido como los fantasmas y temblaba de pies a cabeza.

Alberto no comprendía qué le sucedía para estar tan asustado, entonces se acercó a su lado. Vio que la imagen del niño se reflejaba en ambos espejos, pero no como él era, sino muy aumentada. Se le veía una cabeza monumental, un cuerpo impresionante, unas manos en las que cabrían kilos de patatas…

—Se te ve muy crecido; es como si de pronto te hubieras vuelto mayor —bromeó el muchacho.

—Pareces un cabezudo —apuntó la cría.

—¡No quiero ser mayor ni me gusta verme así! —protestó él, mientras se apartaba unos pasos.

—Está bien. Lo cogeré yo —dijo Alberto.

Dejó a su hermana junto a Julián y se acercó a la puerta. Entonces se vio reflejado en los espejos. Estaba tan aumentado que parecía un gigante.

—¡Vaya hombretón! —exclamó satisfecho.

Se miró una y otra vez y, encantado con su estampa, abrió la puerta con gesto decidido.

—¡Uf! ¡Cuántos! —resonó la voz de Alberto desde el almacén.

—¿Son guapos? —exclamó la cría, y corrió tras su hermano.

Julián se quedó solo. Paseó la mirada de un rincón a otro temiendo que ocurriese lo peor. La habitación le inquietaba tanto que, armándose de valor y sin levantar la vista del suelo, pasó frente a los espejos y fue a reunirse con sus compañeros.

En efecto, el almacén estaba lleno de robots; los había de todo tipo y tamaño.

A unos les faltaba una pata, a otros un brazo o la cabeza, pero... «Son todos muy feos y dan mucho miedo», pensó Julián, mientras los recorría con la mirada.

—¿Cuál escogemos? —preguntó Alberto, acercándose a uno y luego a otro, pero sin acabar de decidirse.

Julián clavó la mirada en una especie de bola peluda, con patas de rana, orejas puntiagudas y ojos saltones que estaba en una de las estanterías. No conseguía explicarse por qué, pero esa figura le parecía más desagradable que las demás.

Alberto también se fijó en ese robot, lo miró de cerca, le puso las manos encima y dijo convencido:

—Éste es el más ridículo de todos. Nos lo llevamos.

Nena lo observó detenidamente y dijo con recelo:

—¿Es malo?

—No —la tranquilizó su hermano—,
es bueno. Nos ayudará a salir de aquí.

—¡Aaah! —respiró ella, aliviada.

Julián prefería no mirarlo. Lo encontraba tan malvado que no entendía cómo
Alberto se había atrevido siquiera a tocarlo y, mucho menos, a confiar en él.

Alberto pulsó el interruptor que el
robot tenía en la espalda y el autómata
comenzó a funcionar.

—¡Te voy a pillar, no escaparás! —amenazó, tratando de meter miedo.

—Oye —le advirtió Alberto muy serio—, no te hemos elegido para que nos
asustes, sino para que nos indiques la salida.

—¿Qué? —se extrañó el robot.

Su tarea, dentro de la casa, siempre había consistido en hacer palidecer de miedo
a los visitantes, pero llevaba mucho tiempo
en el almacén sin que nadie le hiciera caso.

Cuando Alberto lo escogió, el robot pensó ilusionado que volvía al trabajo. No sospechaba que ahora le esperaba una tarea menos grata. Se estuvo quieto un momento. Por fin, preguntó con desconfianza:

—¿Quién te ha dicho que podías pedirme semejante cosa?

—Tu jefe —respondió Alberto.

—¿Cómo sé que no estás mintiendo?

—Si no me crees, te dejaré en la estantería y me quedaré con un robot que sea menos desconfiado —le replicó Alberto.

—No, no lo hagas. Te creo —asintió el muñeco.

Llevaba tanto tiempo esperando salir del almacén, que no deseaba estropear esa oportunidad. Quizá había llegado el momento de demostrar a sus superiores que todavía era un robot útil. Así que decidió colaborar con los visitantes e indicarles el camino de salida.

—Seguidme —dijo un tanto indeciso, sin acabar de acostumbrarse a su nuevo papel.

Julián se acercó a Alberto y, para que el robot no le oyera, susurró a su oído:

—¿Cómo vamos a fiarnos de lo que diga un muñeco creado para asustar?

Alberto, restándole importancia al asunto, le respondió:

—Si no te gusta el guía, no lo sigas. —Y continuó andando.

Julián sintió un frío intenso en todo el cuerpo y retortijones en la barriga como si necesitara ir al cuarto de baño. Tal era su espanto que no podía reaccionar.

El miedo a quedarse solo en un lugar desconocido era más fuerte que el provocado por el poco amistoso robot. Así que, con los ojos bien abiertos por si el muñeco les preparaba alguna trampa, fue tras sus compañeros.

El robot se internó en un pasaje estrecho y empinado y los niños fueron tras él. Poco después llegaron a una plaza rodeada de edificios que estaban casi en ruinas. En una de las puertas había un cartel que decía: «Salida».

—Mirad —exclamó Alberto al verlo, y rápidamente se encaminó hacia allí.

—Por esa puerta sólo podrá pasar uno de vosotros —les alertó el robot.

Alberto se llevó un dedo a los labios, rápidamente se le ocurrió un plan y, acercándose a Julián y a Nena, les comentó a media voz:

—Es igual. Cuando la puerta se abra nos daremos prisa y pasaremos los tres juntos.

—¡Aaah! —exclamó la cría, impresionada con lo listo que era su hermano.

—Vale —asintió Julián, con ganas de salir de allí cuanto antes.

Alberto presionó el picaporte, pero la puerta no se abrió.

—¿Qué pasa? —preguntó.

—Si quieres que se abra, tienes que pulsar el timbre.

Alberto lo hizo, entonces la puerta se abrió. El muchacho se apresuró tanto en cruzar el umbral, que Nena y Julián no consiguieron salir tras él. La puerta se cerró rápidamente, impidiéndoles el paso.

—Se lo advertí —exclamó el robot, visiblemente contrariado.

Nena y Julián se miraron sin decir palabra. «Y, ahora, ¿qué hacemos?», se preguntaban.

El robot fue el primero en reaccionar. Puesto que le habían encargado llevarles hasta la salida, se propuso cumplir su misión. Antes de marchar, decidió explicar cómo funcionaban las cosas allí dentro, para evitar nuevos contratiempos.

—Veréis, aquí hay una serie de reglas y será mejor que no las olvidéis.

—¿Cuáles? —se interesó el niño.

—Primera: no debéis ir nunca, nunca hacia atrás.

—Ya —dijo la niña, mirando fijamente a la máquina.

—Segunda regla: no debéis cerrar los ojos cuando os enfrentéis a los miedos.

—Lo entiendo —indicó Julián, atento a las palabras del robot.

—Y tercera —añadió, a punto de desvelar un gran secreto—, tenéis que confiar en vosotros mismos.

Julián iba a asentir con la cabeza cuando le asaltaron las dudas: «¿Y si intenta engañarnos? ¿Y si todo lo que pretende es hacernos caer en una trampa?».

Instintivamente ladeó la cabeza y, mirando al robot por el rabillo del ojo, le preguntó:

—Dime, ¿cómo sé que puedo confiar en ti?

El autómata sintió que los pelos se le ponían de punta. Era la primera vez que ayudaba a un visitante y era así como se lo recompensaba. Sin disimular su disgusto, respondió:

—Si no confías en mí, puedes seguir tu camino y yo me vuelvo a la estantería.

Por extraño que parezca, Julián sintió que el muñeco actuaba con sinceridad y reconoció que él se había equivocado.

—Lo siento —dijo.

—La salida está un poco apartada de este punto y a mí no me queda mucha batería. No hay tiempo que perder. ¡Vamos! —indicó.

Entonces, se pusieron en marcha.

Nena iba cerca de Julián y no dejaba de mirarlo para sentirse segura; se comportaba como si él fuera su hermano mayor, aunque no se atrevía a cogerle la mano ni a pedirle que la llevara en brazos. Julián también la miraba de reojo y veía el esfuerzo que hacía la pequeña para andar a su paso y no separarse de su lado; a pesar de ello, se comportaba serio y reservado.

Salieron de la plaza por una callejuela que llevaba hasta un pasillo mal iluminado, con las paredes cubiertas por telas negras que colgaban del techo. El pasillo se estrechaba a cada paso, hasta que se convirtió en un cuello de embudo por el que sólo había espacio para uno.

Precisamente en el punto en el que el pasillo se volvía más estrecho, había un autómata. Medía casi dos metros, sus piernas y sus brazos eran largos y finos, su cabeza, sus orejas y sus ojos eran tan redondos que parecían dibujados con compás, el color de su piel era plateado (en contraste con sus mejillas y sus labios, pintados de un rojo encendido), llevaba ropas de mendigo y movía constantemente la cabeza de un lado a otro, como si fuera el péndulo de un reloj…

Aunque se trataba de un muñeco mecánico, al verlo, Julián sintió que el miedo lo paralizaba.

—¡Oh, qué feo! —exclamó sin querer.

El tono trémulo de su voz y sus palabras inquietaron a Nena, que rápidamente quiso saber:

—¿Es malo?

—Sí, muy malo —afirmó el guía con voz fantasmal, tan diferente que no parecía el mismo. Con los pelos de punta como púas y enfrentándose a los niños con gesto amenazador, vociferó—, pero yo soy peor que él, echad a correr si no queréis que os haga pupa con mis uñas.

—¡Tengo miedo! —chilló la cría, agarrándose a las piernas de Julián.

El grito de la pequeña ayudó al robot a reaccionar. Por un momento se había dejado llevar por la antigua rutina de su trabajo, olvidándose de cuál era su cometido en aquel momento.

—Lo siento —se disculpó apenado, mientras recomponía su aspecto—. Fue un instante de arrebato, me dejé llevar por la nostalgia y por la envidia, pero no volverá a pasar.

—De acuerdo —asintió Julián, mientras sentía que el corazón todavía le latía a toda velocidad.

La niña, con la mirada fija en el enorme autómata que había delante, insistió:

—¿Es malo?

—No, ¡qué va!, es feo porque no supieron hacerlo más guapo, pero es de lo más bueno que hay por aquí. Con decirte que lo llamamos Bonifacio —se apresuró a explicar el robot.

—¡Aaah! —suspiró ella, que creía todo lo que le decían.

En cambio, Julián no consiguió tranquilizarse; permanecía estático y con la mirada fija en el muñeco. Era evidente que debían pasar junto a él si deseaban continuar el camino hasta encontrar la salida, y eso lo atemorizaba bastante.

—Allá voy —dijo el robot, que comenzó a andar tan campante.

Intentaba demostrar a sus compañeros cómo debían actuar. Caminaba con las orejas tiesas, los ojos bien abiertos y una sonrisa en los labios.

El enorme muñeco, tratando de hacerle retroceder, estiró los brazos, flexionó las piernas y movió las orejas al tiempo que bajaba y subía la mandíbula. Entonces, dijo con voz aguda:

—Ahora te pillaré, mequetrefe. No te dejaré pasar.

Pese a sus amenazas, el robot pasó por su lado sin que él hiciera nada por impedirlo. Era un espantapájaros de metal que sólo impresionaba a primera vista.

—Ya lo veis, no hace nada —dijo a sus compañeros, con la intención de darles ánimo.

Nena se encogió de hombros y miró a Julián.

—Venga —dijo el niño, tratando de disimular el temblor que se había apoderado de su cuerpo.

—¿Paso yo? —preguntó ella, bastante recelosa.

—Sí, sí, ven —la animó el robot.

Por fin se decidió. Caminaba con tal rigidez y daba pasos tan cortos que parecía una muñeca. Al acercarse al autómata, éste volvió a repetir:

—Ahora te pillaré, mequetrefe. No te dejaré pasar.

—¡Quiere pillarme! —se alarmó la pequeña.

—No le hagas caso; es un mentiroso. No es capaz de pillar ni a las moscas que se posan sobre su nariz —dijo el robot.

—¡Aaah! —exclamó la niña y pasó, sin perder de vista al grandullón de metal.

Sólo quedaba Julián. De buena gana habría dado media vuelta para echar a correr, pero sabía que eso no era aconsejable, pues sólo empeoraría la situación. También se le ocurrió pasar junto al autómata con los ojos cerrados, como había hecho en todas las ocasiones que se había encontrado con algún miedo, pero ahora sabía que no era posible, pues rompería las reglas.

Aunque se repetía una y otra vez que se trataba de un simple muñeco que no podía hacerle nada, y pese a que sus compañeros estaban apoyándolo, Julián no se

sentía con fuerzas para atreverse a pasar junto a él. Notaba un nudo en la garganta que le impedía respirar.

«No puedo; no puedo; no puedo», se decía, con los pies clavados en el suelo, incapaz de dar un paso.

Nena lo observaba apenada. Comprendía, a su manera, lo que estaba sintiendo Julián. Así que, sin pensarlo dos veces, intentó regresar junto a su amigo. Al verla, el robot la cogió de la mano para impedírselo, mientras Julián arrancó a andar con grandes zancadas, antes de que fuera tarde y la pequeña corriera un riesgo demasiado grande.

Pasó junto al gigante de hojalata sin darse cuenta y cuando el hombretón le amenazó («Ahora te pillaré, mequetrefe. No te dejaré pasar»), ni siquiera lo oyó.

No paró hasta llegar junto a sus compañeros de aventura.

Nena, que lo miraba como si fuera un héroe, le tendió la mano y le dijo:

—¿Me das la tuya?

Julián no pudo negarse. Entonces sucedió algo muy extraño: sintió que la mano de la niña, entrelazada con la suya, le daba un calor reconfortante.

—¡Otra vez juntos! —celebró el robot, acercándose a ellos.

Estaban tan contentos que los tres se abrazaron para celebrar el éxito tras la dura prueba.

Para Julián era algo nuevo, él solía mantenerse a cierta distancia de los demás. Y también para el robot, acostumbrado a que la gente chillara al verlo y que nadie se animara a acercársele demasiado. Y para la niña, que siempre resultaba un estorbo estuviera donde estuviese.

—¡Aaah! ¡Qué bueno! —exclamó la cría, demostrando su alegría.

Julián cayó en la cuenta de que no tenía ninguna prisa en deshacer el abrazo, pues se sentía muy bien junto a ellos.

Aunque de buena gana no se hubieran separado, sabían que les esperaba un largo camino por delante, así que se pusieron en marcha.

Julián y Nena iban cogidos de la mano. El niño miraba de reojo a la pequeña, le gustaba verla a su lado, tranquila y confiada. Él, que siempre había estado pegado a sus padres para sentirse amparado, ahora se veía protegiendo a Nena, y el cambio comenzaba a gustarle. Aunque ella era tan pequeña que apenas le llegaba a la cintura y a su lado él parecía muy mayor, ya no le resultaba tan desconcertante.

Tras avanzar un buen trecho, comenzaron a oír unas voces lejanas, pero no se entendía lo que decían. Aun así, Julián supo identificarlas.

—Son las voces de los fantasmas —dijo, seguro de que no se equivocaba.

Las había oído tantas veces, en tantas ocasiones se habían convertido en sus compañeras inseparables, que las reconoció sin dificultad y supo qué sucedería de inmediato. De hecho, al oír las voces fantasmales, todos los miedos que tenía dentro se alborotaron y comenzaron a chillar desafinados.

Julián se llevó las manos a la barriga tratando de calmar el cosquilleo que sentía. Siempre le pasaba lo mismo, aunque en esta ocasión le resultó más llevadero.

Los tres amigos continuaron su camino, andaban al mismo paso y muy juntos, haciéndose a la idea de que no las oían.

Puesto que a los fantasmas lo que más les molesta es que los ignoren, se sintieron indignados y arremetieron con más fiereza. Dispuestos a amedrentarlos, fueron aumentando el tono de voz y la claridad con la que se expresaban, y parecían acercarse cada vez más a sus víctimas.

—No sabéis la que os espera. Dad media vuelta y regresad —decían con malicia.

Julián palideció. Todo le daba vueltas; era como si, en vez de estar en la casa del terror, se hubiera montado en un tiovivo gigante. A pesar de eso, en vez de seguir las órdenes de las voces, de comportarse como un niño bueno y obediente y hacer todo lo que ellas le decían, continuó andando junto a sus amigos.

—El camino que habéis elegido no conduce a ninguna parte —insistían los fantasmas, intentando hacerles perder la confianza y el rumbo.

Como si esto fuera poco, las voces de los miedos resonaban cada vez más fuerte en el interior de Julián; repetían, como un tenebroso eco, todo aquello que decían los fantasmas.

A pesar de la situación, y aunque estaba tan agarrotado que le costaba flexionar las rodillas, continuó andando junto a sus nuevos amigos.

—Si sois desobedientes recibiréis un duro castigo —amenazaban los fantasmas con sus voces de ultratumba.

—Tengo frío —dijo la niña, poco acostumbrada a quejarse. Temblaba tanto que le castañeteaban los dientes.

—Julián, encárgate de ella —le indicó el robot.

Instintivamente, Julián rodeó a la pequeña con sus brazos, en un claro gesto protector. Así lo entendió Nena, que exclamó agradecida:

—¡Aaah!

Los fantasmas no se dieron por vencidos y continuaron plantando batalla, en su afán por espantarlos y hacer que se movieran a su antojo.

—¡Ni un paso más! El suelo está lleno de trampas. Si caéis en una de ellas ya no podréis salir.

Seguían con sus mentiras, pero los amenazaban con tal convicción que, al oírlos, más de uno hubiera pensado que lo que decían era verdad.

—Tapaos los oídos —les aconsejó el robot, buscando la manera de no caer en sus peligrosas redes.

Julián y Nena así lo hicieron. Rápidamente se pusieron un dedo en cada oído y miraron hacia arriba con gesto burlón, dando a entender a los fantasmas que no tenían forma de vencerlos.

Pero los fantasmas no suelen desistir tan fácilmente. Continuaban hablando con tanta fuerza y contundencia que sus voces conseguían oírse.

—Si no obedecéis, vendrá el monstruo de las siete bocas, os cogerá por las orejas y os encerrará en su cueva —amenazaban.

Julián se detuvo en seco. Tenía la frente empapada de sudor y notaba un peso en el pecho que casi no lo dejaba respirar. Eso le sucedía cada vez que se imaginaba encerrado en la cueva del monstruo de las siete bocas. Era más fuerte que él, no lo podía remediar.

Su madre había descubierto su debilidad y se valía de ello: a veces, cuando él no quería comer, ella le decía que vendría el temible monstruo. Entonces Julián, temblando de los pies a la cabeza y blanco como el papel, aunque no tuviera hambre, devoraba lo que tuviera en el plato. Evitaba a toda costa tener que enfrentarse con ese personaje tan malvado.

Si los fantasmas continuaban atacándolo, Julián no resistiría mucho más. Miró al robot con gesto de espanto y, aunque no abrió la boca, el muñeco comprendió que necesitaba ayuda.

—No prestes atención, sólo dicen tonterías —le dijo.

—No sé cómo hacerlo —se atrevió Julián a confesarle su dificultad.

—Piensa en algo bonito, algo que te guste mucho —le propuso su amigo.

Julián estaba tan asustado que le costaba pensar. Finalmente, dijo:

—Me gusta la música.

—¡Estupendo! —celebró el robot—. ¡Vamos a cantar! —dijo, y entonó a pleno pulmón una canción muy pegadiza.

Nena y Julián escucharon en silencio; luego, cuando acabó, aplaudieron entusiasmados. En verdad, el robot tenía una voz magnífica y cantaba muy bien. Daba gusto oírle.

—Ahora, tú —dijo a Nena.

—¿Yo? —preguntó sorprendida la pequeña.

—Claro —asintió el muñeco.

Nena se llevó un dedo a los labios y pensó un momento, tratando de recordar la letra de alguna de las canciones que conocía. Por fin se le iluminó la cara y, tras prepararse convenientemente, comenzó con su canción.

Julián se quedó impresionado: nunca había oído a Nena decir tantas palabras juntas ni tan bien pronunciadas.

—¡Fantástico! —exclamó—. ¿Cómo lo has hecho?

Nena no sabía la respuesta, simplemente se había puesto a cantar y las palabras habían salido de su boca.

—Es que la música es mágica, puede con todo —le explicó el robot.

—Ya, ya… —asintió Julián.

—Sólo faltas tú —le recordó el robot.

—¿Yo? —preguntó él.

—Sí, sí —intervino la pequeña.

Julián iba a asentir con la cabeza, pero entonces las voces resonaron con más fuerza e insistencia:

«Ni se te ocurra. Tú cantas muy mal. Harás el ridículo», decían.

Julián miró a sus amigos y reconoció apenado:

—Mejor no canto, lo hago fatal.

—¡Qué más da! No se trata de un concurso —le recordó el robot.

Entonces, Julián se encogió de hombros y, dejando sus dudas y temores de lado, comenzó a cantar lo primero que pasó por su cabeza.

El robot y Nena lo acompañaron haciendo palmas y tarareando la melodía en voz baja. Cuando Julián acabó, estaban tan animados con la canción que volvieron a repetirla, pero esta vez lo hicieron los tres juntos.

La melodía resonó con más fuerza, hasta el punto de que las voces de los miedos se vieron obligadas a enmudecer, pues nadie tenía oídos para ellas.

Julián se sentía tan alegre, estaba tan risueño, que parecía otro. Jamás hubiera imaginado que cantar fuera tan divertido y agradable, y tan efectivo para espantar a algunos fantasmas.

«No lo olvidaré», se dijo. Ahora sabía qué podía hacer cuando los fantasmas o los miedos volvieran a aparecer y chillaran más de la cuenta.

Y ésa no era la única novedad. Al compás de la música se notaba ligero, con los pies tan inquietos que incluso sentía ganas de moverse.

—¿Te apetecería bailar? —preguntó la chiquilla, como adivinando sus pensamientos.

—¡Sí, sí! —aceptó Julián.

Se cogieron de la mano. Sin dejar de cantar y con una gigantesca sonrisa en los labios, cada uno bailó a su aire. También el robot se unió a la danza.

Así, al ritmo de la música, dando vueltas y más vueltas como si fueran a volar en cualquier momento, meciéndose a cada paso, se pusieron nuevamente en marcha.

3

Un cartel
con varias indicaciones

Avanzaban por un camino de tierra reseco que parecía conducirlos rumbo al desierto.

El paisaje que tenían delante era extenso y desolador. Aunque Julián sabía que dentro de la casa de los miedos las cosas eran difíciles de entender, se extrañó al ver que aquella planicie parecía mayor que la propia casa. «¿Cómo lo harán?», pensó con curiosidad, a sabiendas de que los miedos eran capaces de cualquier cosa y de que él debía estar preparado.

Al cabo de unos pasos encontraron carteles indicadores en los que se podía leer: «Cueva de las brujas», «Sala de los espejos», «Bosque petrificado». En el último ponía: «Salidas».

Puesto que todos apuntaban en la misma dirección, siguieron avanzando por aquel camino tan poco agradable.

Rascándose la cabeza, Julián comentó:

—Los carteles anuncian lugares que nunca aparecen.

—Es que la mayoría de ellos no existen —comentó el robot.

—Entonces, ¿para qué los ponen? —quiso saber el niño.

—Para confundir y engañar. Así son los miedos, justamente por eso no hay que hacerles caso. Si te guías por ellos, difícilmente llegarás a algún lado —afirmó.

—Qué tramposos, ¿no? —intervino Nena.

—Bueno, un poco —reconoció el robot.

Luego siguieron andando en silencio; cada uno daba vueltas en su cabeza a las trampas y triquiñuelas que eran capaces de preparar los miedos. Y así, casi sin darse cuenta, llegaron hasta un lugar muy verde donde las plantas crecían vigorosas. Tanto que a veces resultaba difícil avanzar entre ellas, porque sus ramas entrelazadas cortaban el paso.

El robot iba delante y, aunque trataba de facilitar el camino a Nena, no veía la manera de echarle una mano. Él no podía apartar las ramas con espinos que lastimaban a la niña, ni podía ayudarla a saltar por encima de las abultadas raíces que sobresalían de la tierra y la hacían resbalar y rodar por el suelo con frecuencia.

Al darse cuenta de la situación, Julián cogió la delantera; Nena avanzaba casi pegada a sus talones y el robot cerraba la fila. Puesto que él era mayor y más alto, podía ir abriendo un camino entre la maleza.

—¡Qué valiente! —dijo Nena, tan poco acostumbrada a que se preocuparan por ella. Estaba encantada con Julián.

—Vaya, ¡pero si lo hace mejor que el mismísimo Tarzán! —señaló el muñeco.

Julián, al notar el reconocimiento de sus compañeros, sintió como si de pronto hubiera crecido un palmo: se vio más alto, menos débil, más seguro y relajado. Era capaz de mirar a sus amigos a los ojos, no necesitaba bajar la vista ni desviar la mirada cuando ellos le hablaban.

No sin dificultad ni tropiezos, el grupo continuó avanzando hasta que el caudal de un río se interpuso y cortó el paso. Al verlo, el robot se estremeció.

—No soporto el agua. Si me mojase se estropearía mi mecanismo —dijo.

Se detuvieron los tres junto a la orilla y observaron el río, que bajaba con una gran fuerza, y el trecho que debían atravesar para llegar a la otra orilla. Aunque no querían desanimarse antes de tiempo, era evidente que no sería tarea fácil: Nena era demasiado pequeña y el robot no veía la manera de cruzar el río sin mojarse. Julián parecía el único con posibilidades reales de conseguirlo, siempre y cuando no se asustara. Y así lo entendió él.

Estaba tratando de encontrar la manera de superar ese difícil escollo, cuando oyó que el robot le decía:

—Id vosotros, yo esperaré aquí hasta que baje el nivel y pueda ir saltando de piedra en piedra.

—¡Vaya tontería! —dijo Nena, mirándolo muy enfadada y con las manos en la cintura.

—¡Ni lo sueñes! —le dijo Julián—. Estamos juntos y así seguiremos.

—¡Oh, qué carácter! Era sólo una propuesta; mejor me callo —dijo el robot.

Julián acabó de dar forma a la idea que estaba maquinando. Entonces, seguro de que superaría la complicada prueba, le dijo a Nena:

—Ven, dame una mano.

Y se agachó para que la niña subiera sobre sus hombros. Ella así lo hizo; entonces, rodeó la cabeza de su amigo con los brazos y luego suspiró aliviada al sentirse a salvo.

Julián miró al robot y le indicó:

—Tú puedes sentarte sobre mi cabeza, así estarás lo más lejos posible del agua.

Al muñeco le pareció que aquella no era una mala idea, así que se encaramó sobre la cabeza de su amigo de un salto y se acurrucó hecho un ovillo.

Aunque Julián notó un intenso cosquilleo en la barriga, no le prestó demasiada atención. El niño no era especialmente fuerte ni musculoso y tenía que hacer un gran esfuerzo para cargar a Nena y al robot sobre sus espaldas, pero estaba decidido a llevar a sus amigos sanos y salvos hasta la otra orilla, y eso era lo único que le importaba.

—¿Listos? —quiso saber.

—¡Sí! —asintió el robot con seguridad, para que el niño comprendiera que confiaba en él.

—¡Adelante! —dijo Nena, convencida de que su amigo lo lograría.

Julián no lo pensó más y echó a andar. Al poner un pie en el agua notó que la corriente era demasiado fuerte y que tendría que pisar con cuidado para no caerse. Apoyaba cada pie con firmeza y sólo entonces daba un nuevo paso.

Nena lo animaba tocándole las orejas y diciéndole con voz suave:

—Valiente.

La voz de la niña tenía el poder de enternecerlo y de volverlo más fuerte a la vez.

Por su parte, el robot iba quieto y silencioso, mirando hacia arriba, tratando de ignorar el agua, ya que su sonido hacía castañetear sus dientes.

Estaban en medio del río, cuando Julián apoyó un pie sobre una piedra cubierta de musgo y resbaló. Pudo reaccionar a tiempo, se apoyó con fuerza sobre el otro pie y no perdió el equilibrio. Entonces, respiró hondo y continuó avanzando.

—¡Ya estamos! —dijo por fin Julián.

Habían llegado a la otra orilla y el peligro había pasado.

—¡Eres genial! —le felicitó el robot—. ¡Eres grande, amigo! —agregó, curioso por saber cómo se tomaría el niño su cumplido.

Lo cierto es que le sentó de maravilla, porque disfrutaba cada vez más con su nuevo estado de niño grande o de pequeño joven.

—Ven —le pidió Nena para que se acercara.

Entonces le dio un par de besos en cada mejilla y luego lo abrazó con ganas, tratándole como si fuera un auténtico héroe.

—Gracias —dijo Julián emocionado, ya que nadie lo había mirado así.

Después de la aventura vivida en el agua, los tres estuvieron de acuerdo en que necesitaban hacer un alto en el camino para recuperar las fuerzas. Se sentaron a la sombra de un árbol, muy juntos, y entornaron los ojos.

Al cabo de un rato, el robot rompió el silencio.

—Tenemos… que… irnos… —dijo con dificultad.

Hablaba de una forma tan rara que Julián se inquietó.

—¿Qué pasa? —le preguntó.

El robot se movía con torpeza, le costaba mantener los ojos abiertos, se le veía abatido.

—¿Tienes pupa? —preguntó la niña.

—Me… queda… muy poca… batería —dijo él afligido.

—Tenemos que encontrar un cargador —reaccionó Julián.

Paseó la mirada y descubrió que, no lejos de allí, había un grupo de casas. Tal vez, en alguna de ellas, habría uno.

El robot trató de andar, pero le costaba mucho mantenerse en pie. Julián lo tomó en brazos y se pusieron en camino. Después de avanzar unos cuantos metros, se toparon con una puerta que les cortaba el paso.

Julián se detuvo. Casi sin darse cuenta, comenzó a imaginar que detrás de esa puerta tan destartalada los esperaba el monstruo de las siete bocas. Sintió que las piernas se le aflojaban.

—Abre… —le indicó el robot con un hilo de voz.

Julián reconoció que no tenía otra elección. Giró el picaporte y la puerta se abrió.

Se agarró al marco y asomó la cabeza. Para su sorpresa, vio una habitación casi igual a la suya: los muebles, las cortinas, la ropa, la ventana, los juguetes… parecían los mismos. «¡Qué extraño!», pensó, aunque prefirió no comentárselo a sus compañeros.

No se decidía a entrar. Jamás había invitado a nadie a pasar a su habitación y le daba un poco de reparo que sus compañeros vieran sus cosas. Pero al concluir que lo más urgente era encontrar un cargador para el robot, sus recelos se esfumaron.

Sabía que en el cajón del escritorio había uno guardado, así que lo abrió, cogió el cargador y lo conectó al robot.

—Dentro de un rato estarás como nuevo —trató de animarlo.

Mientras tanto, Nena paseaba por la habitación observando los juguetes, los libros y la ropa de su amigo.

«No toques nada», iba a advertirle Julián, pero no le pareció oportuno. Dejó que la niña curioseara, pero sin perderla de vista.

—¿Puedo hojearlo? —dijo ella, señalando un libro.

Curiosamente, era el libro preferido de Julián. Se lo había regalado su madrina y era el tesoro de su biblioteca. Dudó un momento, pero luego cogió el volumen de la estantería y se lo dio.

Nena pasaba una hoja tras otra, deteniéndose en los dibujos para observarlos e interpretarlos a su manera. Unos le hacían gracia, entonces reía; otros la inquietaban, entonces abría mucho los ojos.

—¿Quieres que te lo lea? —le dijo Julián.

—¡Sí! —exclamó ella, que no se había atrevido a pedírselo, pero lo deseaba con ganas.

Julián se sentó a su lado y comenzó a leer. Nena lo escuchaba con atención, siguiendo con vivo interés cada palabra que pronunciaba su amigo. Cuando Julián acabó, estuvieron un rato en silencio; ambos se sentían como si estuvieran montados en una alfombra voladora.

Entonces, la cría sacó unas canicas del bolsillo de su falda y le dijo:

—Para ti. —Y se las dio.

—No —se sorprendió Julián—. Son tuyas, no tienes que regalármelas.

—Te las regalo —insistió ella.

Julián cogió las canicas y, luego de pensarlo, le propuso:

—¿Qué tal si nos quedamos con tres cada uno?

—¡Vale! —asintió Nena.

La niña iba a guardar las suyas en el bolsillo, cuando se le ocurrió proponer:

—¿Quieres jugar?

Aunque Julián jamás había jugado a las canicas, no se le cruzó por la cabeza si lo sabría hacer bien y respondió divertido:

—Sí.

Ni uno ni otro tenían mucha puntería, así que no había un claro ganador; pero disfrutaban tanto con el juego, con los errores propios y los del contrincante, que los dos reían con ganas.

El robot no los perdía de vista; al principio seguía sus movimientos con los ojos medio cerrados, pero luego fue recuperando su vitalidad habitual. Veía a los niños disfrutando con el juego en vez de chillar asustados, que era a lo que estaba acostumbrado, y esa actitud empezó a agradarle. «Tal vez sea cierto que me estoy haciendo mayor», pensó, pero la idea no le preocupó demasiado.

Al ver que se encendía y se apagaba una luz verde que tenía en la barriga, com-

prendió que ya tenía toda la energía que necesitaba.

—Ya podéis librarme de este trasto —indicó el robot a sus amigos.

Julián se dio prisa en quitarle el cargador.

—¿Cómo estás? —le preguntó.

—¡Fantástico! —exclamó el robot—. Me siento con tanta fuerza como si fuera un chaval que acaba de salir de la fábrica.

—¡Aaah! —se alegró Nena.

—Tenemos mucho camino por delante, ¿qué tal si nos ponemos en marcha? —propuso el robot.

Julián se habría quedado jugando un rato más con sus amigos, pero entendía que no podían retrasarse.

—¡Claro! —respondió—. ¡Andando!

Puesto que no podían salir por la misma puerta por la que habían entrado, ya que eso implicaba dar marcha atrás, el robot señaló una ventana.

—Nunca se me hubiera ocurrido —exclamó Julián, impresionado con la astucia del muñeco, y descubriendo que a cada paso aprendía cosas nuevas.

Al atravesar la ventana, el paisaje cambió por completo; no era el mismo que se divisaba desde la habitación. Ahora avanzaban por una calle tan sombría que de sólo verla se les entrecortaba la respiración; a un lado había un cementerio y al otro un castillo embrujado.

Se oían voces muy extrañas, el crujido de unas puertas que se abrían, el sonido de unos pasos acercándose, el aullido de algunos animales que merodeaban como a punto de atacar…

Casi sin girar la cabeza, moviendo solamente los ojos, la niña miró hacia la izquierda, luego hacia la derecha, y dijo:

—Tengo miedo.

—Yo también —reconoció Julián, rígido como una estatua, y tomó a Nena de la mano.

El robot sabía que habían llegado a uno de los pasajes más impresionantes de la casa de los miedos, por lo que decidió romper el silencio para hacerles más llevadero el camino.

—Cuando llegué aquí por primera vez, esto me impresionaba mucho. Estaba tan asustado que quería irme cuanto antes. Hasta que conocí a un robot muy viejo que me enseñó trucos para convivir con los miedos y no asustarme más de la cuenta.

—¿Ah, sí? —dijo Julián.

Nena trató de agregar algo, pero no le salieron las palabras.

El robot continuó:

—Ese viejo robot me enseñó una canción. Me dijo que me sería muy útil en momentos difíciles, cuando me enfrentara a monstruos muy poderosos.

—Qué bien —murmuró Julián.

—Creo que ha llegado el momento de que os la enseñe a vosotros.

—Vale —asintió Julián.

—Sí —secundó Nena.

El robot se sacudió como si fuese un perro lanudo que acabara de salir del agua y comenzó a cantar:

Ese monstruo da más miedo
que un fantasma recién levantado,
que una bruja con bigote,
que un pirata desdentado.

Por último, el robot agregó:

—Mientras estéis cantando la canción, mirad fijamente al monstruo y observad sus reacciones. —Entonces hizo una pausa, y luego indicó con especial énfasis—: Eso os dará la clave para vencerlo para siempre.

Volvieron a quedarse en silencio. Estaban tan ensimismados, que tardaron en darse cuenta de que el cementerio y el castillo embrujado habían quedado atrás.

Al ver que Nena no soltaba la mano de Julián, el robot sintió curiosidad por probar cómo se sentiría andar así. Entonces, se acercó al niño y le pidió:

—¿Puedo cogerte de la mano?

—Claro.

«Está calentita. Me gusta», reconoció el robot.

Y continuaron los tres andando muy juntos, cogidos de la mano.

Fue entonces cuando se oyó un enorme estrépito y la tierra empezó a temblar como si un volcán hubiese entrado en erupción. De pronto, a un par de palmos delante de ellos, el suelo comenzó a abrirse y a separarse, a lo que siguió un nuevo estruendo ensordecedor. En cuestión de minutos los tres amigos se encontraron ante un profundo abismo que provocaba náuseas. No podían andar y sentían vértigo al acercarse al borde.

—¡Vaya! Mientras estuve en el almacén, todo esto cambió mucho —reconoció el robot.

Los tres se miraron desconcertados. No tenían idea de cómo se las ingeniarían para salir de allí. Sin duda, la situación era más que delicada.

—De aquí solamente podríamos salir volando —aseguró el robot tras echar un vistazo.

A Julián se le iluminó la cara.

—¡Claro! —exclamó—. ¡Eso mismo! ¡Saldremos volando!

—Pero ¿cómo? —se extrañó la niña.

—Construiremos un par de alas —explicó él.

—¡Aaah! —dijo ella, sin mostrarse demasiado convencida.

—Claro que no sé si conseguiré hacerlo —reconoció Julián, al caer en la cuenta de que no era demasiado habilidoso con los trabajos manuales.

El robot trató de animarle:

—Inténtalo.

—¡Claro! —le apoyó Nena.

—Bueno. Voy a ver —asintió el niño, y se puso manos a la obra.

Entre los tres recogieron ramas, hojas secas, plumas, lianas, raíces, todo lo que les pudiera servir para fabricar un buen par de alas.

Julián se concentró en la tarea. Nena y el muñeco lo ayudaban en todo lo que podían. Un buen rato más tarde, ya tenían las alas que necesitaban.

—No han quedado iguales —dijo Julián.

—Son muy parecidas, ya verás cómo sí servirán —dijo el robot.

Aunque había trabajado sin descanso, Julián no parecía fatigado. Tenía ganas de sacar a sus amigos de allí cuanto antes y llevarlos a un sitio seguro, así que les indicó:

—Yo me pondré las alas y emprenderé el vuelo.

—Así se habla, compañero —le apoyó el robot.

Julián se sentía confiado. Había comprobado que, prestando atención a sus miedos, no llegaba a ninguna parte; pero si no pensaba en ellos y se centraba en sus objetivos, casi seguro que salía victorioso.

—Nena, tú irás atada a mi espalda y en medio colocaremos al robot —explicó Julián.

—¡Anda! —exclamó, sorprendida con el plan.

Ajustaron a toda prisa los preparativos para el arriesgado vuelo. Nena subió sobre la espalda de Julián, prendida a su cuello con ambas manos y rodeándole la cintura con sus piernas; luego, el robot ocupó su sitio. Para evitar que se soltaran, Julián los ató con una liana e hizo un par de nudos contra su pecho. Luego se sujetó un ala en cada brazo. Al parecer, estaba todo a punto para levantar el vuelo.

—¿Estáis bien? —quiso asegurarse.

—Sí… —respondió el muñeco, con tanto miedo que casi no le cabía en el cuerpo, pero esforzándose para que el niño no lo notara.

Nena no respondió. Miraba las alas de Julián y luego el abismo que había delante de ellos y que era necesario sortear, y no le salían las palabras.

También Julián observó con atención lo que había delante. Entonces, se concentró en lo que tenía que hacer; pensó sólo en ello y, sin prisa, comenzó a mover los brazos para notar el efecto de las alas. Así continuó un rato, para ir ganando confianza, para acostumbrarse a las alas y para que éstas se adaptaran a los movimientos de su cuerpo.

La brisa iba y venía, jugaba con su cabello y le rozaba el rostro, como animándole a ir tras ella.

Julián se dejó convencer. Batió con fuerza las alas y respiró hondo para llenar de aire sus pulmones. Después, cogió carrerilla y se lanzó.

Julián se sentía liviano como una pluma y logró volar al primer intento. Lo hacía tan bien como si lo hubiera practicado

toda su vida, como si en realidad fuese un niño con corazón de pájaro.

—¡Lo has conseguido! —exclamó el robot, tan feliz que, de estar en tierra, se habría puesto a dar saltos de alegría.

Pero como no era la mejor ocasión para dar saltos ni para moverse más de la cuenta, se conformó soltando su chorro de voz para demostrar su felicidad.

Nena, que estaba con los ojos cerrados, no acababa de creerse que aquello fuese verdad.

—¿Volamos? —quiso saber.

—¡Sí! —le dijeron sus amigos.

—¡Aaah…! —suspiró la niña y, no sin esfuerzo, se animó a abrir los ojos.

Se vio muy arriba, como los globos que escapan de la mano de su dueño, volando plácidamente. Aquello le pareció más bonito que el más fantástico de todos los sueños.

Se sentía tan afortunada que se apretó con más fuerza a sus amigos. Estaban tan unidos como si ya no fueran a separarse nunca más, como si de alguna forma se hubieran vuelto uno.

Sobrevolaron el abismo sin prisas, al igual que aquel que anda sin rumbo fijo, y llegaron al otro lado sin sobresaltos ni contratiempos.

Julián tendió las alas, tal como había visto hacer tantas veces a las gaviotas en la playa, y planeando suavemente se posó sobre el suelo.

—¡Ha sido el mejor vuelo de toda mi vida! —afirmó el robot, dando muestras de lo impresionado que estaba.

—¿Ya habías volado antes? —le preguntó Julián.

—No, por eso digo que ha sido el mejor sin temor a equivocarme —respondió él.

Julián se sumó a la broma:

—Si tanto te ha gustado, podemos continuar el vuelo.

—No —se apresuró a responder el robot—, con una vez es suficiente. Gracias.

Julián deshizo los nudos de la liana para liberar a sus amigos de las ataduras y luego se quitó las alas. Estaba radiante. Jamás hubiera imaginado que sería capaz de hacer algo semejante.

Cuando Nena puso los pies en el suelo, se notó rara, como si estuviera montada en un tiovivo gigante que no paraba de dar vueltas.

—Estoy mareada —dijo.

—No te preocupes, pronto se te pasará —la tranquilizó el robot.

Pero antes de poder recuperarse, entre la hierba apareció un conejo que se acercó a ellos dando zancadas, como si un cazador estuviera tras sus pasos. Estaba fatigado, pues había recorrido una larga

distancia para alcanzarlos, y se veía impaciente por darles instrucciones:

—Vamos, rápido, no hay tiempo que perder.

Dando media vuelta se puso nuevamente en marcha, mirando hacia atrás para asegurarse de que los otros tres lo seguían.

—¡Vamos! —exclamó el robot y, sin dudarlo, fueron tras él.

El conejo iba a paso ligero, por lo que debían esforzarse para no quedar rezagados y no perderlo de vista.

Llevaban un buen rato corriendo cuando el robot creyó conveniente preguntar al esforzado conejo:

—¿Hacia dónde nos llevas?

—A la salida —respondió él—. Han aparecido las puertas y no estarán allí mucho tiempo.

4

LAS PUERTAS DE SALIDA

A lo lejos vieron el jardín de la casa. Estaba repleto de plantas, flores y árboles frutales. El suelo estaba mojado, como si hubieran acabado de regarlo. En el centro había un estanque con un surtidor.

Colocadas entre los árboles, como si se tratara de sábanas tendidas al sol, se veían las dos puertas. Estaban pintadas de blanco y en cada una de ellas había una silueta dibujada: la de Nena en la puerta de

la izquierda y la de Julián en la de la derecha.

Al verlas y comprender de qué se trataba, Julián se detuvo.

—¿Tendremos que separarnos? —preguntó.

—Pues sí —confirmó el robot sus sospechas—. Sólo será un momento. Tras cruzar el umbral, os volveréis a encontrar del otro lado —les explicó.

—¿Tendré que ir sola? —preguntó Nena, bastante preocupada.

El robot asintió con la cabeza. Era la única manera de atravesar aquellas puertas. Ésas eran las normas y había que cumplirlas.

—De acuerdo —dijo Julián, y mirando a la niña, comentó—: daremos los pasos muy grandes, para avanzar más rápido y demorarnos menos en encontrarnos al otro lado.

—Está bien —le apoyó ella, confiando plenamente en el plan de su amigo.

—No tardéis más —dijo el conejo.

Los tres amigos se dieron un último abrazo. Luego, Julián dio un beso a Nena, Nena dio un beso al robot y el robot cerró el círculo dando un beso a Julián.

Mirándose fijamente, notando que les costaba más de la cuenta dar el primer paso, exclamaron a la vez:

—¡En marcha!

En cuanto lo dijeron, la puerta de Nena se desvaneció. Comenzó a desaparecer por la parte inferior, como si una goma gigante la estuviera borrando. Se esfumó en cuestión de segundos.

Julián miró al robot con gesto perplejo, sin acabar de entender qué estaba pasando.

—La cría ha tardado más de la cuenta. Márchate tú antes de que también desaparezca tu puerta —indicó el conejo con gesto preocupado.

—¡Ni pensarlo! —protestó Julián—. ¡No la dejaré aquí sola!

—La acompañaré hasta la próxima salida. No le pasará nada —dijo el robot.

—Yo iré con ellos —se sumó el conejo.

—Vete —dijo Nena, señalando la puerta.

Julián la miró fijamente y movió la cabeza con gesto obstinado.

—No me iré de aquí sin ti —dijo categórico.

El robot dudaba. Se había encariñado con Julián y no quería hacer nada que pudiera molestarle o dejarle en evidencia delante de los demás. Pero en vista de que se negaba a utilizar aquella puerta, no tuvo más remedio que advertirle:

—La única manera de salir con Nena al mismo tiempo es pasando por la casa del monstruo de las siete bocas.

Julián palideció. Sintió un intenso dolor en la barriga, como si alguien le hubiera dado un puñetazo. No se veía con ánimo para enfrentarse a ese monstruo tan terrible, pero tampoco se veía capaz de abandonar a Nena.

Permaneció un momento quieto, dudando, pensativo. Por fin, le preguntó al robot:

—¿Me ayudarás?

—Claro —respondió el muñeco.

—Lo siento, se me ha hecho muy tarde —se excusó el conejo y salió disparado.

No tenía ganas de acercarse a la morada del más terrible de los habitantes de la casa de los miedos.

Tal como había sucedido con la puerta de Nena, la de Julián también comenzó a desaparecer lentamente. Ya no había vuelta atrás, pero el chico no se arrepentía de la decisión que había tomado.

Sabía que el enfrentamiento sería duro y complicado, pero no había más remedio que ponerse en marcha. Los tres juntaron sus manos y exclamaron:

—¡Suerte!

Mientras avanzaban, el robot le dio las últimas recomendaciones a Julián.

—Piensa que el monstruo de las siete bocas es un muñeco igual que yo, ni más ni menos.

—Ya, ya —asintió Julián.

Todo eso lo sabía, incluso se lo repetía varias veces, pero no lo ayudaba a librarse de sus temores. Pensar en el monstruo le revolvía el estómago.

—Ya has pasado por pruebas muy difíciles y las has superado —le recordó su amigo, tratando de darle ánimo.

Julián suspiró hondo y asintió con la cabeza, pero no se mostró muy convencido.

—¿Ese monstruo es muy malo? —intervino Nena, haciendo un gesto de desagrado.

—Mucho, por eso estoy tan espantado —respondió Julián, que estaba tan pálido que sus mejillas parecían de papel.

—Cuando te enfrentes con él, recuerda la canción y observa qué cambios se operan en el monstruo.

—Dime, ¿qué le pasa? —quiso saber Julián, muy intrigado.

—Eso no te lo puedo decir, para que surta efecto tendrás que descubrirlo por ti mismo.

—¡Aaah! —se sorprendió Nena.

Avanzaban por un túnel largo y estrecho, formado por árboles que entrelazaban sus altas ramas. Al final del túnel se veía un barracón que cortaba el paso. Encima de la puerta colgaba un cartel con una inscripción, pero por algún extraño motivo Julián no alcanzaba a leer lo que estaba escrito en él.

—¿Qué dice? —preguntó Julián, señalando el letrero.

—Si tú, que vas a la escuela, no puedes leerlo, imagínate yo que no he cogido un libro en mi vida —respondió el robot.

Hasta que no estuvieron a un par de pasos de la puerta, Julián no consiguió saber qué ponía: «Guarida del monstruo de las siete bocas».

Entonces se quedó paralizado: para él, ese monstruo era el más fiero de todos, el que le provocaba más miedo, el que lo obligaba a comer aunque no tuviera hambre, el que lo hacía encogerse en la cama hasta parecer un niño pequeño, ante el que cerraba los ojos aterrorizado, y el que le hacía desear con todas sus fuerzas que la tierra se lo tragara para que no pudiera encontrarlo.

Aunque sabía que un día tendría que enfrentarse a él, al llegar el momento notó que las fuerzas le abandonaban; las piernas no podían sostenerle. Se dejó caer lentamente y acabó sentado en el suelo.

—Necesito pensar —dijo, mirando a sus amigos.

—Es normal —le apoyó el robot.

—Sí, piensa bastante —dijo la niña, demostrando que también lo entendía.

Era evidente que Julián no podía dar media vuelta y marcharse de allí corriendo; tampoco serviría de nada acurrucarse

contra la pared, cerrar los ojos y esperar a que el monstruo se marchara de la casa; ni siquiera se trataba de escalar el barracón y llegar al otro lado pasando por el tejado para no toparse con él.

Julián comprendió que no tenía otra salida que abrir la puerta y enfrentarse con el monstruo de las siete bocas. Pero si el simple nombre del monstruo conseguía dejarle angustiado e indefenso, llorando a moco tendido, ¿qué le pasaría cuando estuvieran frente a frente? Esa duda dejaba a Julián vulnerable y temeroso.

Permaneció quieto y pensativo un buen rato, tratando de armarse de valor. Pero el tiempo pasaba y se sentía cada vez más espantado.

Tenía que decidirse, no se iba a quedar allí toda la vida. Apretó los puños, respiró hondo, se puso en pie y se enfrentó a la puerta del barracón.

—Estoy preparado —dijo, aunque su rostro expresaba otra cosa—. Vamos.

—Adelante —le animó el robot.

Tendió la mano lentamente, temblando como una hoja al viento; giró el pomo de la puerta con movimientos torpes y, aunque lo intentó un par de veces, no consiguió abrir.

—Tienes que llamar —le indicó el robot.

Julián golpeó la puerta con los nudillos y, casi en seguida, oyó una voz:

—¿Quién anda ahí? —preguntó una voz, con aire bravucón.

—Soy Julián —respondió el niño, con un nudo en la garganta que casi no le dejaba hablar.

—¿Qué te trae por aquí? ¿Cómo se te ocurre venir a mi encuentro? —dijo el monstruo, con tono burlón.

—Necesito pasar por tu casa para salir de aquí —indicó Julián sorprendido, pues hablaba sin tartamudear.

—Puedo abrirte la puerta, puedo dejarte entrar, pero cuando me veas temblarás asustado, y hasta es posible que te hagas pis en los pantalones —se mofó el monstruo.

—Lo sé, pero quiero salir de aquí para ir a mi casa —replicó el niño, notando que se iba poniendo más y más tenso.

—Bien, bien. Tú lo has querido, puedes entrar —suspiró el monstruo. Luego, agregó—: Pero tendrás que entrar solo.

Julián abrió la boca espantado y se llevó las manos a la cabeza. No se veía capaz de hacerlo.

«¡Qué malvado! Sabía que intentaría dejarme solo», pensó con rabia y angustia.

Reconoció que no tenía la fuerza ni el valor necesario para dar el paso y entrar en la casa. Debía admitir que, nuevamente, el monstruo lo había vencido.

—No estás solo, nosotros te estaremos apoyando —le susurró el robot.

A Julián se le iluminó el rostro: «¡Claro! No estoy solo, porque Nena y el robot estarán aquí fuera apoyándome. ¡El monstruo no se ha salido con la suya!», celebró su pequeña victoria.

—De acuerdo —aceptó Julián, casi sin voz, el desafío del monstruo.

La puerta se abrió lentamente, con un chirrido tan desagradable que a Julián se le puso la piel de gallina. Aunque no parecía un crío decidido y valiente, y estaba tan asustado que no le cabía más miedo en el cuerpo, apretó los dientes y entró. Dentro, todo estaba a media luz, terriblemente sucio y desordenado. «Esto huele fatal», pensó Julián, tapándose la nariz y tan asqueado que estuvo a punto de vomitar. Paseó la mirada de un lado a otro, hasta que alcanzó a divisar al monstruo agazapado en un rincón.

Julián casi se queda sin respiración, como si lo hubieran metido debajo de una ducha de agua fría. Notó pinchazos en la barriga y tuvo la impresión de que se le iba a escapar el pis.

«Es más feo de lo que imaginaba», pensó Julián. La fealdad del monstruo se le hizo tan insoportable que estuvo a punto de cerrar los ojos para no verlo.

«Ahora se acercará a mí», pensó. En efecto, el terrible monstruo se dirigió hacia donde él estaba. Avanzaba paso a paso, disfrutando del miedo que provocaba al niño. Una de sus siete bocas enseñaba sus dientes afilados, otra masticaba una cucaracha, otra le sacaba la lengua en gesto burlón, mientras de otra pendía un desagradable hilo de saliva…

«Ahora crecerá tanto que su cabeza rozará el techo y su cuerpo apenas cabrá aquí dentro», anticipó Julián.

Igual que si estuvieran dándole aire con un inflador, el monstruo fue ganando tamaño de forma sorprendente. Se veía cada vez más grande, y Julián parecía cada vez más pequeño.

«Ahora se pondrá a hablar y a decir cosas desagradables», pensó Julián, que acertó otra vez. Al cabo de un momento, cada una de las siete bocas comenzó a escupir frases:

—Le contaré a tu madre que dices mentiras —amenazó la primera, hablando con la voz ronca de los fantasmas.

—Cuando tu madre no te ve, tiras la comida del plato a la basura. ¡Eso está muy mal! —dijo la segunda, y siseaba como si le faltaran algunos dientes.

—Sólo lo hice una vez, porque no soporto las lentejas —se defendió Julián, aunque le costaba tanto hablar que tartamudeaba.

—No es cierto que Alberto fuera tu amigo, él ni siquiera sabía que existías —se mofó la tercera. Aunque era delgada y chillona, no por ello el sobresalto que provocaba era menor.

—Les contaré a tus padres que tienes un secreto guardado y no te atreves a confesarlo —dijo la cuarta y luego rio—: ¡Ja! ¡Ja! ¡Ja!

Julián apretó las piernas con fuerza para que no se le escapara el pis. No quería que el monstruo lo viera vencido, humillado y con los pantalones mojados.

Así que, antes de que la quinta boca pudiera hablar, Julián recordó que el robot le había enseñado una canción muy particular y poderosa. «Es especialmente útil en ocasiones difíciles», le había indicado su amigo, que había insistido en que la cantara mirando fijamente al monstruo y que observara atentamente qué sucedía.

Decidido a probarlo, aunque con los músculos tan agarrotados que le costaba muchísimo mover los labios, Julián intentó cantar, pero no recordaba la letra. Los nervios volvían a jugarle una mala pasada en el peor de los momentos.

—¡No puede ser! —protestó Julián, contrariado.

No quería ser un juguete en sus manos; no le apetecía que el monstruo continuara tratándole como un niño indefenso. Aunque nunca se había sentido especialmente valiente, y menos en aquel momento, estaba decidido a plantarle cara. Entonces, como por arte de magia, recordó las estrofas de la canción y comenzó a cantar:

> *Ese monstruo da más miedo*
> *que un fantasma recién levantado,*
> *que una bruja con bigote,*
> *que un pirata desdentado.*

Y, aunque siguió al pie de la letra las indicaciones del robot, el monstruo continuó igual de amenazador y terrorífico.

—¿Qué ha pasado? ¿Qué has notado? —se oyó la voz del robot, aunque un tanto lejana.

—Nada —respondió Julián.

—Vuelve a repetirla, pero hazlo con más convicción.

Julián cogió todo el aire que pudo y, haciendo lo posible por no pensar en sus temores, repitió la canción. Lo hizo con firmeza y mirando fijamente al monstruo. Pero tampoco dio resultado.

—¡Ja! ¡Ja! ¡Ja! —celebró una de las bocas del monstruo—. ¿No sabes que esa canción ya no funciona? Tendrás que inventar una nueva si quieres descubrir qué me pasa.

—¡Calla! —reaccionó otra de las bocas, en tono malhumorado—. Te has ido otra vez de la lengua.

—No sabes mantener la boca cerrada —le recriminó otra.

«Ahora resulta que mi canción ya no hace nada. Hay que ver con qué rapidez cambia todo. Esto ya no es como antes», pensó el robot con nostalgia. Al instante reaccionó y le indicó a Julián.

—Invéntate una canción. Rápido.

—Lo intentaré —respondió el niño.

Se le ocurrió algo y, sin dudarlo, lo cantó con decisión, mirando al monstruo fijamente:

Este monstruo es más patoso
que un toro con patines,
que un elefante en bicicleta,
que un león en el trapecio.

Entonces sucedió lo que el robot había insinuado. El monstruo se convirtió justo en lo que Julián cantaba: se transformó en un toro con patines, en un elefante montado en una bicicleta y en un león subido a un trapecio.

—¿Qué ha pasado? —quiso saber el robot.

—Pues…, que adopta la forma de lo que estoy pensando —reconoció Julián, impresionado con el descubrimiento.

Permaneció pensativo durante unos instantes, afirmando con la cabeza, mientras sus mejillas recuperaban el color y su respiración se tranquilizaba. Entonces, esbozó una media sonrisa.

—¡Vaya! ¡He descubierto tu secreto! —exclamó Julián, sorprendido al comprender que los papeles habían cambiado y que el monstruo estaba en sus manos.

El monstruo quedó paralizado, sin atreverse a dar un paso ni a decir nada; parecía un animal acorralado que no tenía escapatoria.

Para convencerse de que estaba en lo cierto, Julián pensó en voz alta: «Este monstruo es un pobre ratón asustado».

En un abrir y cerrar de ojos el monstruo se convirtió en un pequeño ratón indefenso que corría de un lado a otro, como si tuviera miedo de su propia sombra.

—¡Hi! ¡Hi! ¡Hi! —chillaba con cada una de sus siete bocas, sin encontrar un agujero donde refugiarse.

—¡Vete! ¡Vete! —le dijo Julián, pues sabía lo mal que lo estaba pasando.

Pero el ratón no encontraba la manera de escapar de allí y cada vez estaba más temeroso y desorientado.

Julián dio un par de zancadas, se acercó a la puerta trasera y la abrió de par en par. El ratón aprovechó para salir tan rápido como se lo permitieron sus diminutas patas.

Pasó junto a Nena y el robot, que estaban esperando junto a la puerta. Los dos corrieron a abrazar a Julián y a felicitarlo por el buen trabajo que había hecho.

—¡Qué valiente! —reconoció la cría, mirándolo con admiración.

—No hay duda, ya no eres un niño, ahora eres mayor —dijo el robot.

—Ya —asintió Julián complacido.

Se miraron los tres en silencio, llenos de dudas frente al siguiente paso, probablemente el más difícil de todos.

—Tenemos que marcharnos —dijo, finalmente, Julián.

—Claro, claro —apoyó el robot, desviando la mirada y con las orejas caídas.

—¿Ya? —preguntó la niña, sin ganas de separarse de sus amigos.

—Tus padres deben de estar preocupados con tu tardanza —le explicó Julián.

Ella asintió y tomó a Julián de la mano, dando a entender que estaba preparada para marcharse.

—Pues... —comenzó a decir Julián, pero no pudo continuar.

—Adiós —dijo el robot—. Espero que volvamos a vernos.

—Sin duda —prometió Julián, y luego le preguntó—: Y tú, ¿dónde irás?

—Al almacén, claro.

Hacía un buen rato que a Julián le rondaba una idea por la cabeza y, puesto que ya no temía expresar lo que pensaba, le comentó al robot:

—Si quieres, puedo hablar con tu jefe; tal vez esté dispuesto a venderte. ¿Te gustaría venir con nosotros?

—Sí que me gustaría, pero me da miedo. Piensa que yo nunca he salido de aquí —explicó el robot.

—¿Por no enfrentarte con el miedo estás dispuesto a quedarte en ese almacén? —preguntó Julián.

El robot no se lo pensó dos veces, tomó a Julián de la mano y, andando siempre al mismo paso, los tres amigos se pusieron en marcha.

Al abrir la puerta de salida, en el barracón entró una luz tan intensa que tuvieron que entornar los ojos. Cegados por la claridad dieron un paso y, de pronto, se encontraron en la calle, a escasos metros de la taquilla donde vendían las entradas para el tren fantasma. Aunque el suelo estaba mojado a causa de la copiosa lluvia caída, había vuelto a salir el sol.

Julián notó una especie de sobresalto, parecido a lo que sentía al despertar de repente de un profundo sueño. Observó con atención los dibujos pintados en las paredes de la atracción, oyó los gritos de las personas que se habían atrevido a entrar, miró al hombre que recogía los billetes en la entrada y sonrió complacido. Sólo entonces notó que Alberto estaba allí, a pocos pasos de la puerta, esperando a que salieran.

—¡Vaya! ¡Lo habéis conseguido! —exclamó al verlos.

Nena corrió a su encuentro con los brazos abiertos, mientras decía:

—¡Hola, hermano!

Alberto le dio un beso, cosa que era extraña en él, la abrazó con alegría y la montó sobre sus hombros.

—Estaba preocupado, Nena. Nadie me daba noticias vuestras. Fue una tontería haberme separado del grupo. Lo siento mucho —dijo.

—Julián es muy valiente —le explicó la niña, y señaló a su amigo con su dedo índice.

—Gracias por haber cuidado a mi hermana —dijo Alberto, y le guiñó un ojo con complicidad.

—¡Qué va! Nos hemos cuidado entre los tres —indicó Julián.

—Por cierto, tú y yo vamos al mismo colegio, ¿verdad? —preguntó Alberto.

—Sí —asintió Julián, sorprendido.

—Cuando te veía en el patio, siempre solo, tenía ganas de acercarme a hablar contigo; pero tienes tanta fama de listo, de sacar las mejores notas, que me daba un poco de corte.

Julián lo miró con los ojos muy abiertos. Jamás hubiera imaginado que Alberto se había fijado en él.

—Si te hubieses acercado a hablar conmigo me habrías dado una gran alegría

—se animó a afirmar; tras una pausa, le indicó—: Tengo que hablar con la señora de la taquilla. Ahora vengo.

Tomando al robot con los dos brazos, para dejar claro que no pensaba separarse de él, le dijo a la mujer:

—¿Cuánto vale? Me gustaría comprarlo.

—Los muñecos no se venden —respondió ella.

—Verá —argumentó Julián, bastante inquieto, preocupado en encontrar las palabras adecuadas para convencerla—: Nos hemos hecho amigos y no pienso devolverlo al almacén.

La mujer, sin cambiar el tono de voz, le dijo:

—Entonces, puedes quedarte con él.

—¡Gracias! —exclamó.

En ese momento llamaron a Alberto al móvil. El muchacho se dio prisa en atenderlo:

—Sí, mamá. Estamos bien. Nos hemos encontrado con unos amigos, por eso nos hemos retrasado. Sí, ya vamos para casa. Adiós —dijo, y colgó.

—¿Vamos a casa? —se inquietó Nena.

—Es muy tarde —le dijo su hermano.

No le apetecía tener que separarse de sus amigos.

—¿Vienes con nosotros? —le pidió a Julián.

—Claro que sí. Te acompañaré hasta tu casa y luego el robot y yo nos iremos a la mía.

Nena pidió a su hermano que la bajara, cogió a sus amigos de la mano y caminaron los tres muy juntos.

—¡Vaya! —protestó Alberto—. Resulta que ahora quieres estar con ellos y a mí me dejas de lado.

—No te pongas celoso. Tú sigues siendo su preferido —bromeó Julián.

Al llegar a la casa se despidieron, pero no se pusieron tristes, pues Julián les prometió que iría a verles la mañana siguiente.

—¡Vale! —exclamó ella, mientras Alberto abría la puerta y entraban.

Entonces, aunque era muy tarde y tenía muchas ganas de llegar a casa, Julián comenzó a andar tranquilamente, sintiéndose tan ligero y contento que disfrutaba cada paso.

Al entrar en su casa, exclamó:

—¡Mamá! ¡Mamá! ¿Dónde estás?

—En la cocina —respondió ella.

Julián corrió a su encuentro y se colgó de su cuello en una actitud cariñosa y desenfadada, que no era habitual en él.

—¿Qué te ha pasado? —se sorprendió ella.

—Estoy muy contento —explicó él—. He ido al parque de atracciones y…

—¿Con quién? —interrumpió su madre.

—Solo, pero luego...

—¿Solo? ¿Cómo solo? ¿Cómo se te ha ocurrido? Podrías haberte perdido.

—Mamá, ya tengo nueve años —recordó él, para que ella fuera dándose cuenta de que ya no era un niño pequeño.

—Está bien —tuvo que reconocer la mujer, aunque a regañadientes. Entonces, al ver el muñeco que su hijo llevaba en la mano, quiso saber—: ¿De dónde has sacado ese bicho tan feo?

—¡Lo gané en el parque! ¿Te gusta?

—¡Por supuesto que no! ¿Cómo se te ocurre? Pero si es tan viejo y está tan sucio que da cosa tocarlo.

—Pues a mí me encanta —reconoció Julián, defendiendo a su amigo.

Entonces, sin soltar al robot, se acercó a la barriga de su madre y, entre susurros, preguntó:

—¿Cómo estás?

Luego, apoyó la oreja contra la barriga y, aunque no oyó la respuesta, notó que su hermana se movía.

—Ahora sí que tengo ganas de verte. Ya no pienso que papá y mamá estarán pendientes de ti y a mí me dejarán de lado —dijo sin alzar la voz. Y agregó—: Ven cuando quieras, ya no tengo miedo, ya no me asusta ser tu hermano mayor; es más, creo que juntos lo pasaremos muy bien.

Tras haber transmitido este mensaje a su hermana, se sentía mucho mejor. Desde hace tiempo necesitaba decirle que la quería, que no la rechazaba. Miró a su madre y le preguntó:

—¿Qué nombre le pondremos?

—Pero si ya lo sabes. Te lo he dicho mil veces. Se llamará Amanda, como la abuela —indicó ella.

«Amanda, Amanda», repitió Julián para sus adentros, y finalmente comentó:

—Está bien, ¡me gusta!

La madre se quedó sorprendida, sin saber qué decir, con la impresión de que su hijo no era el mismo, que le habían dado la vuelta como a un calcetín.

Julián se marchó tranquilamente a su habitación. Él era el primero en sorprenderse de lo feliz que se sentía siendo un niño mayor, un muchachote, como decía el robot, a punto de tener una hermana pequeña.

«¡Menudo recorrido!», se dijo, recordando el camino que había andado en la casa de los miedos y dispuesto a no olvidar nada de lo aprendido.

Paseó la mirada por la habitación, buscando un sitio ideal para instalar al robot, para que se sintiera a gusto en su nuevo hogar.

—Mientras lo decidimos, te dejaré aquí —le dijo, y lo dejó sobre la cama, apoyado contra la almohada. Entonces, alzándose de hombros, agregó—: Jamás me hubiera imaginado que me preocuparía tanto el bienestar de un muñeco que en algún momento me dio tanto miedo.

—Pero que ya no trabaja, está retirado —le recordó el robot.

—Sí, porque ha descubierto cosas más divertidas que asustar a los demás —bromeó Julián, y los dos rieron con ganas.

ÍNDICE